Questions / Réponses

La Préhistoire

Un monde aux détails fascinants

Caroline Daniels

Introduction

L'histoire de la Terre a commencé voici 4,5 milliards d'années. Au cours des 3,5 millions d'années qui ont suivi l'apparition de la vie, la Terre a connu de grands bouleversements : emplacement des continents, changements du climat, évolution des plantes et des animaux, etc. De nouvelles formes de vie se sont développées, tandis que des milliers d'espèces se sont **éteintes.**

Il est difficile de concevoir les longues périodes qui ont jalonné le développement de la vie préhistorique. Pour simplifier, imaginons que tout cela se soit passé en 24 heures. Les premiers signes de la vie apparaissent à minuit. À 15h00, les vers, les méduses et les éponges sont déjà bien implantés. À 18h00 apparaissent les poissons vertébrés, et à 21h00, les premiers animaux commencent à coloniser les terres. Les dinosaures dominent sans partage notre planète de 21h30 à 23h00, puis ils font place libre aux mammifères. L'homme apparaît seulement 2 secondes avant minuit, et la préhistoire s'arrête juste 1/4 de seconde avant minuit.

Les 5 500 ans d'histoire archivée sont comprimés dans ce dernier quart de seconde.

L'évolution de la vie ne s'est pas faite sans heurt, mais plutôt par à-coups.

Les premières traces de vie ont connu un démarrage parsemé d'embûches, et l'évolution a été lente, bien que la complexité croissante des formes de vie n'ait cessé d'accélérer cette évolution. Des périodes d'extinction massive ont failli anéantir toute forme de vie, mais elles ont donné leur chance aux survivants, ce qui a entraîné une explosion de **diversité.** Le phénomène est survenu à plusieurs reprises durant la préhistoire, en particulier au cours de l'ère précambrienne, et à l'occasion de l'extinction des dinosaures. Aujourd'hui, nous avons tendance à considérer la vie sur la Terre comme quelque chose d'immuable, mais il n'en est rien. L'évolution ne cesse de modifier lentement, mais sûrement, toutes les espèces vivantes. La vie sur notre planète évolue au rythme des changements climatiques. Chaque **espèce** vivante (y compris l'être humain) finira par s'éteindre un jour, mais la vie continuera.

Les requins figurent parmi les plus lointains voyageurs à travers le temps. S'ils sont restés pratiquement inchangés pendant des millions d'années, leur évolution ultérieure en a fait les plus grands prédateurs de la planète. Malheureusement, ils sont aujourd'hui menacés par l'homme.

Les puissants dinosaures exercent une grande fascination sur la plupart d'entre nous. C'est peut-être parce qu'ils sont la preuve que des créatures monstrueuses ont effectivement foulé le sol de la Terre, notre planète. Ou parce qu'ils nous apprennent que toutes les espèces finissent par s'éteindre, quelle que soit leur puissance passée.

L'homme moderne apparaît seulement dans la période la plus brève de toute la préhistoire. Mais il n'a pas perdu son temps ! En effet, il est passé du chasseur-cueilleur au maître de la technologie et de la science actuelles.

Les origines
de la terre et de la vie

Qu'est-ce que la vie préhistorique ?

La vie préhistorique inclut toutes formes de vie existant sur la Terre, depuis l'apparition des premières traces de vie sur notre planète jusqu'à l'époque où l'homme a commencé à enregistrer l'histoire lorsqu'il a découvert l'écriture, voici 5 500 ans. Elle s'est terminée à différentes époques, selon les cultures et les régions du monde. La préhistoire est tellement longue que les scientifiques ont divisé les millions et milliers d'années qui la composent en périodes appelées « ères ». Les ères ont été divisées en périodes plus courtes appelées « époques ». Aujourd'hui, nous vivons dans l'Ère Cénozoïque, à l'époque Halocène.

Comment la vie s'est-elle apparue ?

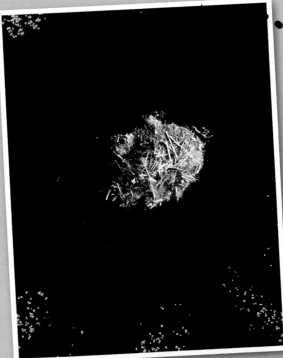

La terre s'est formée voici 4,5 milliards d'années à partir d'une boule de gaz et de poussières. Mais les premiers signes de vie remontent à 3,5 milliards d'années. À cette époque, la Terre ne présente pas les continents et les mers que nous connaissons aujourd'hui, mais elle est recouverte d'eau. Une série de réactions chimiques entraîne la formation d'**organismes** uni-cellulaires microscopiques. Peu à peu, des êtres pluricellulaires, formés par l'union de nombreuses cellules, commencent à se développer. Ces organismes complexes conserveront un aspect vermiforme ou gélatineux jusqu'à l'apparition d'un tout nouvel organisme, il y a 517 millions d'années. Le pikaia ne mesurait que 5 cm de long, mais il était doté d'une colonne vertébrale. C'est l'ancêtre des **vertébrés**, dont font partie les êtres humains.

Que sont les stromatolites ?

Les stromatolites sont les plus anciens fossiles connus sur la Terre. Certains scientifiques pensent qu'ils constituent les premiers êtres vivants, apparus voici 3,5 milliards d'années. Ces algues monocellulaires se sont formées dans les eaux peu profondes. Au cours du temps, elles se sont durcies, formant des couches de roche ressemblant fortement à du corail. Ces algues bleues vivaient sous forme d'énormes masses flottantes dans la mer. Effectuant la photosynthèse, elles étaient responsables de l'accumulation de l'oxygène dans l'atmosphère terrestre, ce qui a ensuite permis aux animaux de se développer. Certaines se rencontrent encore dans un petit nombre de régions, tel Shark Bay, en Australie.

Formations de stromatolites à Shark Bay, en Australie.

4

À quoi ressemblait la Terre lorsque la vie est apparue ?

La Terre était très différente de la planète actuelle. Au moment de l'apparition des premiers signes de vie, la Terre a été frappée par des **astéroïdes** venus de l'espace qui ont fait fondre la croûte terrestre et ont transformé les mers en vapeur. La croûte terrestre a fini par se durcir et une mer s'est reformée. Les gaz dans l'atmosphère ont produit un **effet de serre**, réchauffant la Terre bien plus qu'aujourd'hui. Lorsque l'oxygène est apparu dans l'atmosphère, une couche protectrice d'**ozone** (O3) s'est formée et a protégé la vie contre le rayonnement ultraviolet nocif du Soleil, ce qui a permis le développement de la vie.

Comment la tectonique des plaques a-t-elle influencé la vie ?

Lorsque la Terre s'est formée, les continents n'existaient pas. Au fur et à mesure que la croûte terrestre se durcissait apparaissaient des chaînes d'îles volcaniques. Plusieurs super continents se sont formés, puis séparés. Le dernier est la Pangée («toutes les terres » en grec), il y a 300 millions d'années. La Pangée s'est divisée pour former les masses continentales que nous connaissons aujourd'hui. **La tectonique des plaques** a brassé les océans, modifié le climat et peut-être accéléré le rythme de l'évolution. Elle est responsable de la formation des montagnes et des océans, et également de la **distribution** des animaux et des plantes, des espèces identiques existant sur différents continents séparés par d'immenses océans.

Le sais-tu ?

L'objet le plus ancien découvert sur la Terre est un cristal de zirconium, un petit grain de pierre vieux de 4,4 milliards d'années !

Des formes de vie préhistoriques existent-elles encore aujourd'hui ?

Certaines plantes et animaux vivant à la préhistoire sont encore présents aujourd'hui. Pins, séquoias californiens, ifs et baobabs sont apparus à l'époque des dinosaures. D'autres plantes, telles les **cycadacées**, qui ont évolué depuis 240 millions d'années, datent d'avant l'apparition des dinosaures. Les plantes à fleurs, comme le magnolia, le palmier, et le laurier, ont évolué depuis environ 140 millions d'années. La libellule est l'une des plus anciennes créatures vivant encore de nos jours ; elle est apparue pour la première fois il y a 300 millions d'années. Les limules sont apparues il y a 250 millions d'années, les requins, il y a 200 millions d'années, et les salamandres, il y a 150 millions d'années.

Les fossiles

Où trouve-t-on des fossiles ?

Les fossiles sont les vestiges de plantes et animaux enterrés voici des milliards d'années. Le terme « fossile » dérive d'un mot latin qui signifie « extrait de la terre ». Les restes d'un animal ou d'une plante sont tombés au fond de la mer ou d'une rivière. Les parties putrescibles ont disparu, les parties solides (os, coquille) ont résisté. Les couches de sable se sont déposées, puis **comprimées**, et ont fini par former des roches. La plupart des fossiles ont été trouvés dans de la roche qui s'est déposée en couches, comme le calcaire, l'argile et la chaux. Cette roche est appelée roche sédimentaire. Les fossiles ont tous plus de 10.000 ans.

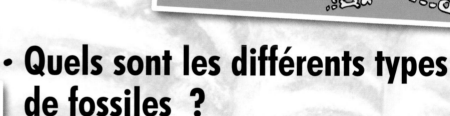

Quels sont les différents types de fossiles ?

Il existe quatre types de fossiles. Les restes des parties dures d'un animal, tels que les os, les dents et les coquilles, sont appelés « organismes fossiles ». Les « traces de vie fossiles » prouvent l'existence passée des animaux ou des plantes (excréments, peau, plumes, graines, feuilles et empreintes de pattes). Les « moules internes » se forment lorsque des **minéraux** remplacent les restes originaux, formant une empreinte de roche qui ressemble exactement à l'animal ou à la plante, tandis que les « moules externes » apparaissent lorsque l'animal ou la plante se dissout dans les eaux souterraines, ne laissant que son empreinte. La plupart des fossiles découverts sont des organismes fossiles ou des moules externes.

Les fossiles peuvent présenter un aspect différent de celui des roches dans lesquelles ils sont prisonniers, mais ils sont constitués de roche. Les os se sont dissous depuis longtemps

Le cœlacanthe - un authentique fossile vivant – vit encore aujourd'hui en Afrique du Sud.

Qu'est-ce que la paléontologie?

La paléontologie est l'étude des fossiles et de l'histoire des êtres vivants qui ont peuplé la Terre au cours des temps géologiques. Les paléontologistes étudient les multiples aspects de cette science : histoire de la formation de la Terre, âge de la Terre, éléments concernant la vie préhistorique. L'étude des fossiles constitue une partie très importante de la paléontologie. Les paléontologistes recherchent des fossiles et les étudient pour les identifier, reconstituer le mode de vie de l'animal ou de la plante qu'ils représentent, déterminer leur âge, ainsi que les espèces apparentées.

Comment les scientifiques connaissent l'âge des fossiles ?

Pour estimer l'âge des roches et des fossiles, les scientifiques utilisent une méthode appelée « datation radiométrique ». Certains éléments contenus dans les roches, appelés **isotopes**, sont instables et disparaissent avec le temps. La mesure des isotopes, comme l'uranium et le carbone, dans la roche ou les fossiles, permet de calculer leur âge. En fait, les fossiles ne contiennent pas d'isotopes **radioactifs** instables ; aussi les scientifiques calculent-ils l'âge des roches situées au-dessus et en dessous du fossile afin de déterminer son âge. Il existe une autre méthode, appelée « principe de superposition » : les scientifiques peuvent établir l'âge d'un fossile à partir de sa position dans la couche de roche : plus il est placé profondément, et plus il est âgé.

L'ambre, piège à insectes ?

L'ambre est une masse de résine fossilisée provenant de conifères aujourd'hui disparus. Elle s'est formée voici 300 millions d'années. À cette époque, une grande partie de la terre était recouverte par d'immenses forêts. Les fossiles de nombreux insectes ont été découverts dans l'ambre : ils ont dû être englués dans la résine avant sa solidification. Mouches, abeilles, cafards, coccinelles et fourmis ont été conservés dans les moindre détails, ce qui a permis aux scientifiques d'étudier les organes internes de ces créatures préhistoriques. Cheveux, plumes, dents, graines, fleurs et pollen ont également été piégés. Grâce à ces fossiles, les scientifiques ont pu brosser le portrait des anciennes forêts et évaluer le climat de la Terre.

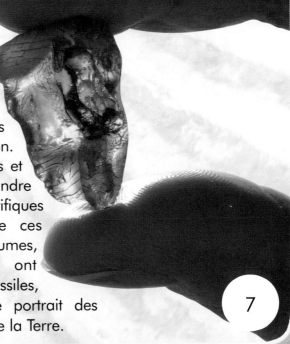

Le sais-tu ?

Le fossile du marsupial le plus ancien date d'il y a 125 millions d'années. Cet animal avait à peu près la taille d'une souris et vivait en Chine.

L'évolution
et l'extinction

Qu'est-ce que l'évolution ?

L'évolution est le changement que connaît une espèce avec le temps. Les modifications qui s'opèrent dans les gènes des organismes se transmettent aux générations suivantes. Chaque être vivant, y compris l'être humain, a évolué à partir des espèces présentes sur la Terre il y a des milliers ou des millions d'années. Pour évoluer, une espèce doit changer son patrimoine génétique avec le temps (un gène est un élément contenu dans le chromosome, grâce auquel se transmet un caractère héréditaire, taille de l'aile, par exemple). Lorsque les espèces poursuivent leur évolution sur de multiples générations, de nouvelles espèces se développent souvent. Parfois, une espèce évolue en deux espèces, phénomène connu sous le terme de spéciation.

Pourquoi les espèces évoluent-elles ?

Le monde dans lequel nous vivons change constamment, et les espèces qui y vivent, y compris les êtres humains, doivent s'adapter aux modifications de leur environnement pour survivre. Les membres d'une espèce capables de survivre aux changements ont le plus de chances de se reproduire et de transmettre leur patrimoine génétique aux **générations** futures. Les girafes n'ont pas toujours eu un long cou. Leur cou s'est allongé au cours des générations successives, la sélection favorisant les individus ayant le cou le plus long afin de brouter les feuilles des arbres à une grande hauteur. Cette évolution est une réponse aux changements de l'environnement de la girafe.

Où est apparu la vie ?

Selon de nombreux scientifiques, les premiers signes de vie sont apparus à proximité des sources hydrothermiques situées au fond des océans. La chaleur et les minéraux provenant de ces ouvertures auraient créé un environnement propice aux **micro-organismes**, les protégeant ainsi de l'impact des météorites et des astéroïdes qui frappaient régulièrement la Terre à cette époque. Des fossiles et des molécules chimiques spécifiques de la vie ont été découverts dans la chaîne de montagnes Barbeton en Afrique du Sud, dans la région de Pilbara en Australie, et dans les régions d'Isua et d'Akilia dans l'ouest du Groenland. Toutes ces régions étaient submergées lorsque la vie est apparue.

Le sais-tu ?

Les scientifiques estiment que 99,9% des espèces ayant existé se sont éteintes.

8

Qu'est-ce que l'extinction ?

L'extinction est la disparition d'une espèce vivante. Une espèce qui ne peut survivre et se reproduire dans son environnement, ou migrer vers un nouvel environnement qui lui permette de survive, finit par s'éteindre. Une espèce s'éteint lorsque son dernier membre meurt. L'extinction massive se produit lorsqu'un grand nombre d'espèces disparaissent presque en même temps, dans une période relativement courte. On recense cinq extinctions de masse depuis que la Terre existe.

Quelles sont les causes de l'extinction d'une espèce ?

De multiples facteurs peuvent entraîner l'extinction des espèces. L'extinction est un phénomène naturel, la plupart des espèces ne survivant pas plus de 10 millions d'années en moyenne. Ce phénomène est appelé « extinction contextuelle ». Désormais, l'homme exerce une énorme influence sur le degré d'extinction de nombreuses espèces. La pollution, la destruction des habitats naturels, l'agriculture intensive, le réchauffement global et l'introduction de nouvelles espèces dans un habitat peuvent affecter l'équilibre naturel et entraîner l'extinction de certaines espèces. Les scientifiques estiment qu'à l'heure actuelle, les hommes sont à l'origine d'une future extinction de masse et que près de 20% des espèces pourraient s'éteindre dans une trentaine d'années.

Le dodo est le symbole de l'extinction d'une espèce. Incapable de lutter contre l'arrivée des êtres humains et de leurs chiens sur son île d'origine, cet oiseau coureur s'est rapidement éteint.

Qu'est-ce que la sélection naturelle ?

La sélection naturelle, ou « survie du plus fort », est le degré d'adaptation d'une espèce à son **environnement.** Les membres de l'espèce ayant les meilleures capacités de survivre et de se **reproduire** transmettent ces caractéristiques à leur progéniture. La sélection naturelle permet aux espèces de mieux s'adapter à leur environnement.

Le paon est le parfait exemple de survie grâce à la sélection naturelle. Le mâle possédant le plus beau plumage le montre en faisant la roue et attire les femelles, transmettant ainsi ses gênes. Au fil du temps, la queue du paon est devenue de plus en plus remarquable.

La vie dans la mer

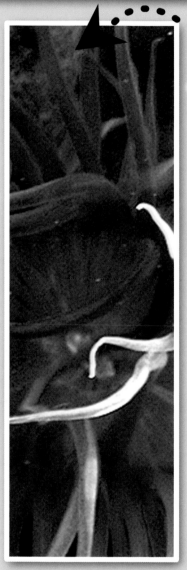

Comment la vie s'est-elle développée dans la mer ?

La vie a commencé dans la mer. Elle s'est développée à partir d'organismes unicellulaires, il y a 3,5 milliards d'années, pour former ensuite des cellules plus complexes appelées **eucaryotes**, voici un milliard d'années. Enfin sont apparues des plantes plus complexes, capables de fabriquer leur propre nourriture à partir de la lumière solaire et de l'eau (photosynthèse). Entre 600 et 550 millions d'années, des animaux multicellulaires tels que les éponges, le corail et la méduse se sont développés.

Connaîs-tu les trilobites ?

Les trilobites étaient des animaux segmentés, pourvus d'une coquille rigide, qui vivaient dans les mers voici 300 millions d'années. Certains trilobites ne mesuraient que 1 mm de long, d'autres atteignaient 70 cm. Il existait de nombreux types de trilobites. Certains pouvaient nager, d'autres rampaient sur le fond de la mer, et d'autres encore se contentaient de flotter sur l'eau. Il s'agit des premiers animaux possédant des yeux. Les trilobites se sont éteints avant l'apparition des premiers dinosaures. On compte 15 000 types de trilobites différents. Cet animal est le fossile le plus répandu aujourd'hui.

À quoi ressemblait le premier poisson ?

Les premiers poissons, appelés ostracodermes, sont apparus voici environ 500 millions d'années. Leur apparence était très différente des poissons que nous connaissons aujourd'hui : en général, ils étaient recouverts d'une sorte de carapace et avaient un squelette cartilagineux et non osseux.
Les placodermes sont les premiers poissons à mâchoires. Ressemblant au requin, ils sont apparus voici environ 480 millions d'années.

Les premiers poissons avaient un aspect étrange, par rapport aux poissons actuels.

Qu'étaient les reptiles marins ?

Les dinosaures n'étaient pas les seuls reptiles du **mésozoïque**. De nombreux **reptiles marins** vivaient dans les océans. Tous descendaient des reptiles terriens. Certaines espèces, telles que les crocodiles et les tortues, vivent encore aujourd'hui. Parmi les autres reptiles marins du mésozoïque figuraient les ichthyosaures, les plésiosaures et les mosasaures. Les reptiles marins avaient besoin d'air et devaient donc monter à la surface pour respirer.

Qu'étaient les plésiosaures ?

Les plésiosaures étaient des reptiles marins dotés de nageoires qui vivaient voici 220 à 65 millions d'années. Il existait deux types de plésiosaures : le plésiosauroïde avait un long cou, une tête étroite et un large corps, tandis que le pliosauroïde avait un petit cou, une grosse tête pouvant atteindre le quart de son corps et des mâchoires très puissantes. Les plésiosaures vivaient probablement près de la surface, la tête hors de l'eau. Certains plésiosaures mesuraient jusqu'à 29 m de long. Il s'agissait sans doute des plus grands **prédateurs** de tous les temps.

Le Woolungosaurus et le Kronosaurus sont deux exemples d'animaux marins de la famille des plesiosaures.

Comment les mammifères marins ont-ils évolué ?

Les mammifères qui vivent dans la mer (appelés cétacés), tels que les dauphins, les baleines et les phoques, ressemblent fort aux mammifères terrestres – ils respirent de l'air, donnent naissance à des petits qu'ils allaitent. Il y a 50 millions d'années environ, l'ancêtre de la baleine était un animal ressemblant à un loup, doté de courtes pattes et de petits sabots, appelé mesonychide.

Les scientifiques estiment que ces créatures se sont mises à chasser le poisson le long de la côte. Plus elles pénétraient profondément dans l'eau, et plus elles trouvaient de la nourriture. C'est probablement ainsi qu'elles ont appris à nager pour échapper aux prédateurs. Elles ont fini par vivre et se reproduire dans l'eau.

La vie sur la terre

Comment les plantes se sont-elles développées pour survivre sur terre ?

Les plantes terrestres ont évolué à partir des algues, il y a environ 400 millions d'années.

Pour survivre sur la terre, elles ont développé une **cuticule** cireuse qui leur évitait de se dessécher au soleil et à l'air, et des **spores** et semences destinées à la reproduction.

Les premières plantes terrestres qui se sont dotées de ces éléments fondamentaux ont été les mousses et les bryophytes. Au début, les plantes étaient de petite taille, sans véritables racines, feuilles ou pédicules. Elles ont fini par développer des cellules spécialisées pour supporter leur pédicule et, chez certaines d'entre elles, un tissu ligneux leur assurant une grande croissance. Dès que les plantes ont possédé de véritables racines et des vaisseaux pour transporter l'eau et les substances nutritives dans leur organisme, elles ont été capables de pousser très haut.

Quand les premières fleurs sont-elles apparues ?

Les premières plantes à fleurs (angiospermes) sont apparues il y a environ 135 millions d'années – longtemps après les premiers oiseaux et mammifères. Les fleurs ont permis aux plantes de se reproduire de façon plus efficace, ce qui a accéléré le rythme de l'évolution. Le nénuphar est l'une des plantes à fleurs les plus anciennes. L'apparition des plantes à fleurs a entraîné l'évolution d'un grand nombre d'insectes. On estime aujourd'hui qu'il existe 250.000 espèces de plantes à fleurs.

Pourquoi les animaux ont-ils gagné la terre ferme ?

Les animaux ont probablement gagné la terre ferme à cause de la concurrence que se livraient les êtres vivants dans l'eau, pour échapper aux prédateurs et pour profiter de nouveaux habitats. Ils ont dû surmonter de nombreux problèmes avant de pouvoir vivre sur la terre : respiration, protection de leur corps contre le dessèchement, effets de la gravité et reproduction.

Quelles sont les premières créatures ayant vécu sur la terre ferme ?

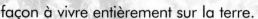

Les premiers animaux vivant sur la terre ferme sont les **arthropodes** (animaux ayant un exosquelette et des pattes articulées), il y a quelque 420 millions d'années. Ils ont évolué en vue de se doter d'un corps léger, de pattes robustes et d'une carapace dure destinée à protéger leur organisme et à réduire la perte d'humidité. Certains de ces êtres vivants atteignaient 2 m de long et étaient de taille supérieure à celle de l'homme. Les araignées, les mites et les mille-pattes figurent parmi les animaux ayant évolué à partir de ces créatures primitives. L'un des premiers animaux vivant sur la terre est le scorpion de mer, ou euryptéride. Il a développé des poumons, mais ne s'est jamais adapté de façon à vivre entièrement sur la terre.

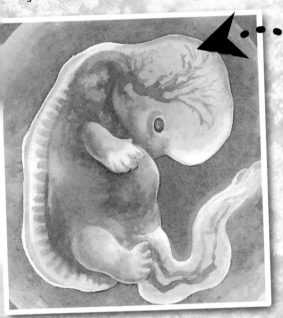

Qu'appelle-t-on des amniotes ?

Les amniotes comprennent les mammifères et les reptiles. Il s'agit d'animaux qui se développent à partir d'un embryon enveloppé dans une membrane appelée amnios. Ceci permet à ces animaux de vivre complètement sur la terre, un pas important dans l'évolution. Les amniotes se divisent en deux groupes : les mammifères et les reptiles (y compris les oiseaux). Les synapsides figurent parmi les plus anciens amniotes connus.

Le sais-tu ?
Les insectes figurent parmi les premiers animaux qui ont vécu sur la terre. Un petit fossile d'insecte ou *Rhyniognatha*, âgé de 396 à 407 millions d'années, a été découvert en Écosse

Comment les animaux ont-ils développé des pattes ?

Les animaux à 4 pattes (**tétrapodes**) sont les premiers vertébrés (animaux possédant une colonne vertébrale) qui ont marché sur la terre ferme. Ils ont évolué à partir du dipneuste, voici 360 millions d'années, en eaux peu profondes et marécageuses. A l'origine, leurs pattes ressemblaient à des pagaies et chassaient vers le côté ou vers l'arrière pour nager. L'ichthyostega, la première créature à 4 pattes connue, est l'une des premières créatures qui s'est aventurée sur la terre ferme, voici 360 millions d'années. Longue de 60 cm, elle se déplaçait sur ses membres primitifs. Plus tard, les tétrapodes ont développé des membres pointant vers l'avant, ainsi que des doigts sur les mains et les pieds.

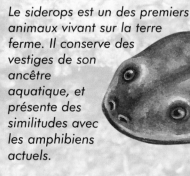

Le siderops est un des premiers animaux vivant sur la terre ferme. Il conserve des vestiges de son ancêtre aquatique, et présente des similitudes avec les amphibiens actuels.

13

Avant les dinosaures

Pourquoi les reptiles ont-il rencontré un tel succès ?

Les premiers reptiles résultent d'une évolution des amphibiens qui s'est produite il y a 315 millions d'années. Ils sont capables passer leur vie hors de l'eau et sont les premiers animaux qui pondent des œufs comportant une coquille. Cette coquille empêche l'œuf de se dessécher durant la croissance de l'embryon. Ils ont ainsi pu quitter le milieu aquatique, tandis que leur peau écaillée et imperméable leur évitait de perdre trop d'humidité. Leurs pattes puissantes permettent de supporter leur corps sur la terre ferme. Les reptiles sont restés les animaux **dominants** sur la Terre pendant 120 millions d'années.

Quel est l'ancêtre des dinosaures ?

Les dinosaures ont probablement évolué à partir de petits **reptiles** carnivores. Les scientifiques ne sont pas certains de connaître le véritable ancêtre des dinosaures, mais il s'agit peut-être du Lagosuchus, ce qui signifie « crocodile lapin ». Ce prédateur féroce est doté d'un long cou en forme de S, caractéristique commune à bon nombre de dinosaures. Des fossiles de Lagosuchus ont été découverts dans l'Argentine actuelle. Les dinosaures descendent probablement du Lagosuchus et des autres archosaures voisins.

Que sont les synapsides ?

Les synapsides, ou reptiles ressemblant à des mammifères, se sont développés voici environ 320 millions d'années. Leur crâne comporte une ouverture extérieure de chaque côté. Des muscles maxillaires, attachés aux orifices, permettent aux mâchoires très puissantes de s'ouvrir largement pour dévorer une proie. Bon nombre de synapsides sont plus grands que les premiers dinosaures ; certains atteignant 3 m de long. Ils constituent les animaux terrestres **dominants** de leur temps. Il existe des synapsides à la fois herbivores et carnivores. Un grand nombre d'entre eux, comme le dimetrodon, ont une sorte de voile sur leur dos qui leur permettent sans doute d'augmenter la température de leur corps en fonction de leur position par rapport au soleil. Le plus ancien dynapside connu est l'archarithyris.

Que sont les cynodontes ?

Les cynodontes constituent un groupe avancé de synapsides, semi-mammifères et semi-reptiles, ils possèdent des dents acérées et pointues (avec de multiples pointes). Leur nom signifie « dents de chien ». Certains cynodontes sont **herbivores**, d'autres, carnivores. Mais tous sont ovipares. Les cynodontes sont les ancêtres des véritables mammifères. Ils mesurent de 1 à 1,5 m et pèsent jusqu'à 20 kg. Plus tard, leur taille va décroître : les cynodontes de la **fin du trias** n'étant pas plus grands qu'un chien. Ils ont vécu du permien au trias, époque de l'apparition des dinosaures. Le cynognathus et l'estemmenosuchus font partie des cynodontes.

Quels êtres vivants peuplent alors la mer ?

Le requin est l'une des plus anciennes créatures marine : il est apparu il y a environ 400 millions d'années. Parmi les autres animaux marins figurent les mésosaures, premiers reptiles à retourner dans l'eau. Ils utilisent leur longue queue et leurs pattes arrière pour se propulser dans l'eau, se guidant au moyen de leurs pattes antérieures. Ils se nourrissent principalement de **plancton.** L'un des mésosaures les plus connus est le mesosaurus, mesurant environ un mètre de long. Les ichtyosaures sont des reptiles qui sont apparus environ 20 millions d'années avant les dinosaures, soit il y a environ 250 millions d'années. Ils s'éteindront 25 millions d'années avant les dinosaures. Les premiers ichtyosaures ressemblent à des lézards dotés de nageoires, tandis que les ichtyosaures tardifs adoptent la forme d'un poisson.

Les restes fossiles des dents des requins préhistoriques fournissent de précieux renseignements sur ces animaux marins. Leur comparaison avec les dents des requins actuels permet d'observer l'évolution de l'espèce.

Que sont les archosaures ?

Les archosaures, ce qui signifie « lézards dominants », constituent un groupe de reptiles qui sont apparus il y a 250 millions d'années. Il ne s'agit pas de dinosaures. Non seulement leur crâne comporte une ouverture de chaque côté, mais il a des os **fusionnés**, qui allègent le crâne et l'assouplissent en mangeant. Les archosaures ont un museau pointu et des dents insérées dans des cavités. Ils comprennent les reptiles volants, appelés ptérosaures, et les crocodiles. Les dinosaures descendent probablement des archosaures. Les crocodiles et les oiseaux sont les seuls archosaures survivants.

Les premiers dinosaures

Quel est le premier dinosaure connu ?

Le Herrasaurus ressemblait à bon nombre des premiers dinosaures.

Récemment encore, le plus ancien dinosaure connu était le Herrasaurus, qui vivait il y a 225 millions d'années et mesurait environ 4 m de long. Mais deux dinosaures récemment découverts sont sans doute plus anciens. Les fossiles de l'Unaysayrus ont été découverts au Brésil. Ce dinosaure bipède vivant il y a 235 millions d'années mesurait 2,5 m de long. Les paléontologistes ont exhumé à Madagascar les fossiles de deux dinosaures qui pourraient être encore plus anciens que l'Unaysaurus. Ces dinosaures herbivores de petite taille ne portent pas encore de nom.

Comment était la Terre lors de l'apparition des premiers dinosaures ?

Lorsque les premiers dinosaures apparaissent sur la Terre, le climat est très chaud et sec, de type désertique. L'herbe et les fleurs n'existent pas, le cycas est alors la plante la plus répandue.

On compte de nombreux amphibiens et quelques reptiles. Les premiers mammifères, les crapauds, tortues et lézards font leur apparition à la fin du trias. Une extinction massive, à la fin du trias, soit il y a 208 à 213 millions d'années, a entraîné la disparition de 35% des espèces animales. La plus grande partie des amphibiens et des reptiles marins, à l'exception des ichthysaures, ont été anéantis, ainsi que la plupart des premiers dinosaures.

A quoi ressemblaient les premiers dinosaures ?

Les premiers dinosaures étaient relativement petits : ils mesuraient environ 3 à 4,5 m de long. Ils étaient bipèdes et probablement très rapides, ce qui leur permettait de concurrencer les autres prédateurs vivant à cette époque. Ils se déplaçaient peut-être en troupeaux, ce qui leur permettait de s'attaquer à des proies plus importantes. Ils étaient carnivores (se nourrissant de chair) ou **omnivores** (se nourrissant à la fois de plantes et de chair). Les premiers dinosaures comprennent le Lesothosaurus, un petit dinosaure herbivore qui vivait voici 225 à 208 millions d'années, ainsi que le Saltopus, un dinosaure carnivore de la taille d'un chat, vivant il y a de 225 à 222 millions d'années.

Le Saltopus avait la taille d'un chat domestique.

Quel est le plus grand des premiers dinosaures ?

Le Platéosaurus est le premier dinosaure herbivore géant (il ne se nourrissait que de plantes). Il a vécu voici 222 à 210 millions d'années, du trias au début du jurassique. Quadripède, il était toutefois capable de se tenir sur ses pattes arrière pour atteindre la végétation haut perchée dans les arbres. Ce dinosaure imposant mesurait 9 m de long et environ 4 m de haut. Il a peut-être vécu en troupeaux. Des fossiles ont été découverts en Allemagne, en France et en Suisse.

Le sais-tu ?

Le Maiasaura est le premier dinosaure de l'espace. En effet, un fragment d'os et un morceau de coquille d'œuf de Maiasaura ont volé lors d'une mission spatiale de huit jours, en 1995. Un crâne de Coleophysis a été apporté jusqu'à la station spatiale Mir en 1998.

Quels sont les premiers dinosaures cannibales ?

Le Coleophysis, l'un des premiers dinosaures, vivait à la fin du trias, il y a environ 210 millions d'années. En 1947, des paléontologues ont mis à jour des centaines de squelettes de Coleophysis, au Nouveau Mexique. L'estomac de plusieurs dinosaures adultes renfermait les restes d'un jeune Coleophysis. Ces animaux étaient donc carnivores ! Le Coelophysis mesurait 2,8 m de long et était bipède. Les os de ses pattes étaient presque creux, d'où leur légèreté et une très grande vitesse de course. Il était **carnivore.**

Pourquoi les fossiles de dinosaures du trias sont-ils aussi rares ?

Un grand nombre de dinosaures de cette période étaient de petite taille, et avaient des os creux, comme ceux de nos oiseaux actuels. Ces os fragiles étaient davantage vulnérables, qu'ils servent de nourriture à d'autres animaux ou soient exposés aux dégradations des intempéries. En revanche, le squelette robuste des dinosaures plus tardifs a mieux résisté à l'épreuve du temps, fournissant ainsi de nombreux fossiles.

Plus gros et plus robustes, les os des dinosaures se sont parfaitement fossilisés.

Les dinosaures tardifs

Que sont les sauropodes ?

Les sauropodes sont les plus grands animaux terrestres. Ces dinosaures herbivores et quadrupèdes possèdent un long cou et une longue queue. Leurs narines sont haut perchées sur leur museau, parfois à proximité des yeux. Ils ont une petite tête, des dents émoussées, et engloutissent de grandes quantités de végétation. Certains sauropodes tardifs ont le corps protégé par une carapace. La taille de ces créatures imposantes varie de 7 à 40 m de long. Avec une longueur de 42 m et une hauteur de 16,5 m, le Supersaurus est l'un des plus grands sauropodes jamais découverts. Les sauropodes ont vécu à la fin du trias, au jurassique, et se sont éteints à la fin du crétacé, en compagnie d'autres dinosaures.

Le Séismosaurus est l'un des plus grands sauropodes et l'un des plus grands animaux ayant jamais existé.

Quel est le plus grand dinosaure carnivore ?

En 2000 a été mis à jour en Argentine un dinosaure plus imposant que le Tyranosaurus rex, et plus imposant que le précédent détenteur du record, le Giganotosaurus. Ce monstre de 13,7 m de haut était plus lourd que le T-rex, et avait des pattes légèrement plus courtes. Il a vécu voici environ 100 millions d'années. A l'instar du T-rex, il possédait de courtes pattes de devant quasi inutiles. Ses grandes dents aiguisées comme des poignards étaient fichées dans une mâchoire de type ciseaux. Les scientifiques pensent que ces créatures redoutables chassaient en troupeaux, ce qui expliquerait la découverte des ossements de six individus, au même endroit.

Ce dinosaure ne porte pas encore de nom.

Comment les ankylosaures se protégeaient-ils ?

Le mot ankylosaure signifie « lézard rigide ». Ces redoutables dinosaures étaient construits comme des tanks : de grandes plaques cuirassées couvraient leur dos. Certains en possédaient même sur leurs paupières ! Herbivores, ces dinosaures râblés et patauds se nourrissaient de plantes basses.
Il existait deux types d'ankylosaures : le véritable ankylosaure et le nodosaure. Le premier possédait de grandes pattes et une queue terminée par une massue qu'il agitait en direction de son ennemi, afin de se protéger.
Ces dinosaures ont vécu durant le crétacé. La queue du nodosaure était dépourvue de massue. Le nodosaure vivait au milieu du jurassique et jusqu'à la fin du crétacé.

L'iguanodon est le premier dinosaure recensé. Le pouce cornu de chaque patte lui permettait de se défendre contre ses prédateurs.

Que sont les ornithorynques ?

Les dinosaures ornithorynques sont connus sous le nom de hadrosaures, type de dinosaure le plus commun. Ils présentent un museau large et plat, sans dents de devant, mais à l'arrière, leur mâchoire est garnie d'un millier de dents minuscules. Ils se déplacent sur deux pattes (bipèdes). Les hadrosaures sont les premiers dinosaures pourvus de joues destinées à arrêter la nourriture qui risque de tomber de leur gueule au cours de la mastication. Un grand nombre d'entre eux a une crête creuse reliée aux naseaux : l'air passant ainsi amplifie le cri de l'animal, ce qui attire les partenaires. Les ornithorynques vivent en larges troupeaux au cétacé, il y a 140 à 65 millions d'années.

Pourquoi les dinosaures se sont-ils éteints ?

Les dinosaures se sont éteints il y a 65 millions d'années durant la période appelée extinction massive du Tertiaire-Crétacée (K–T) par les scientifiques. Environ 70% des espèces vivant sur la Terre ont également disparu à la même époque. Les scientifiques ne connaissent pas avec certitude la cause de cette extinction, mais ils émettent généralement l'hypothèse d'une gigantesque météorite mesurant 10 km de circonférence qui aurait heurté la Terre. Le choc aurait causé incendies, vents, tempêtes, tremblements de terre et **tsunamis.** La chaleur de l'onde de choc aurait brûlé tout ce qui se trouvait sur son passage et la lumière du soleil aurait été occultée par la poussière et les débris pendant des mois, ce qui aurait entraîné un brusque refroidissement du climat.

Que sont les dinosaures autruches ?

Les dinosaures autruches ressemblent aux autruches modernes : ils ont un long cou, une petite tête, un museau en forme de bec et de grandes et puissantes pattes postérieures. On les appelle également ornithomimosaures, ce qui signifie « imitateur d'oiseau ». Ces dinosaures possèdent de grands yeux et un gros cerveau. Dépourvus de dents, ils utilisent probablement leur bec pour extraire de l'eau les petites plantes et les animaux dont ils se nourrissent. Le plus grand dinosaure autruche est le Gallimimus, mesurant 6 m de long. Il vivait à la fin du crétacé, il y a 80 à 65 millions d'années.

Le sais-tu ?

Un nouveau type de Sauropode a été découvert en 2005 : le Brachytrachelopan mesai. Il ne mesure que 10 m de long et possède un cou court et épais. Il a probablement évolué dans le but de se nourrir de plantes basses, si bien qu'il tient son cou à l'horizontale.

→ La vie dans les airs

Que sont les ptérosaures ? ·······

Les ptérosaures, dont le nom signifie « lézards ailés » sont des reptiles volants, et non des dinosaures. Ils ont vécu à la même époque, du trias (il y a 215 millions d'années) à la fin du crétacé (il y a 65 millions d'années). Leurs os creux allégent le poids de leur corps et leur permet de voler. Le plus petit ptérosaure a la taille d'un moineau, et le plus grand, le quetzalcoatlus, l'envergure d'un petit avion : c'est le plus grand animal volant de tous les temps. Certains ptérosaures ont le corps recouvert de poils.

Quel a été le premier animal volant ?

Les insectes ont été les premiers animaux volant sur Terre. Le premier insecte ailé connu a été découvert en Écosse ; il vivait il y a environ 350 millions d'années. Les insectes ont peut-être évolué à partir des premiers crustacés. Au début, les ailes se limitaient probablement à des ailerons capables de transporter l'insecte sur une courte distance grâce au vent. Progressivement, les insectes ont appris à battre des ailes pour se déplacer dans l'air par eux-mêmes. Ces premiers insectes sont apparentés à la libellule, mais de taille très supérieure. Le plus grand insecte découvert a une envergure de 76 cm !

Quel a été le plus ancien oiseau connu ? ·········

Le plus ancien oiseau connu est l'Archaeopteryx, apparu il y a 150 millions d'années. Il a la taille d'un pigeon et possède des dents, des griffes sur chaque aile, une longue queue osseuse comme celle des reptiles. Mais il a également des ailes et des plumes comme un oiseau. Il a été découvert en Allemagne en 1861. Incapable de voler, il se laisse glisse probablement de la cime d'un arbre à une autre.

Lorsque le premier fossile d'Archaeopteryx a été découvert, on a pensé qu'il s'agissait d'un faux

20

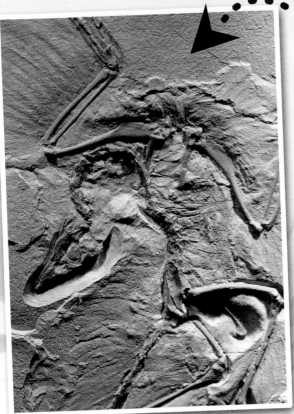

Les oiseaux descendent-ils des dinosaures ?

Les oiseaux sont les plus proches parents vivants des dinosaures. La plupart des scientifiques pensent qu'ils ont évolué à partir des dinosaures raptors. Des fossiles de dinosaures à plumes ont récemment été découverts en Chine, ce qui confirme cette hypothèse. Le Microraptor zhaioanus, une créature de la taille d'un aigle, apparaît il y a 124 millions d'années. Incapable de voler, il utilise ses griffes incurvées pour grimper aux arbres afin d'échapper à ses prédateurs.

L'examen du squelette des dinosaures et de celui des oiseaux révèle de grandes similitudes.

Comment certains animaux ont-ils appris à voler ?

Personne ne sait, avec certitude, comment certains animaux ont appris à voler. D'aucuns pensent qu'ils se sont mis à courir plus rapidement et ont progressivement commencé à s'élever dans l'air. D'autres estiment que tout a commencé lorsque des petits dinosaures ont grimpé dans les arbres pour se laisser glisser ensuite jusqu'au sol. Les raisons qui expliquent pourquoi certains animaux ont appris à voler sont multiples : pour échapper à leurs prédateurs, pour trouver de nouvelles sources de nourriture et pour capturer des proies qui volaient ou se déplaçaient rapidement.

Quelle a été l'évolution des chauves-souris ?

Selon les scientifiques, l'évolution des chauves-souris remonte à 80 à 100 millions d'années, bien que les fossiles les plus anciens datent de 55 millions d'années. Leur ancêtre probable est une musaraigne qui grimpait aux arbres. Au terme de milliers d'années passées à sauter après des insectes pour les capturer, les ancêtres des chauves-souris auraient développé des membranes entre leurs membres et leur corps. Il était plus sécurisant de rester haut perché dans les arbres ou hors de portée des prédateurs sur le sol, mais il fallait moins d'énergie pour voler que pour grimper et descendre des arbres.

Les mammifères

⋯ Quand les mammifères sont-ils apparus sur la Terre ?

Les mammifères ont évolué à partir des synapsides, à peu près à la même époque que les dinosaures. Ils ont développé des caractéristiques qui leur permettaient d'adopter un mode de vie très actif. La plupart des reptiles ne possédaient qu'un seul type de dent : les mammifères en ont développé quatre. Leur squelette assurait grande souplesse et rapidité de déplacement. Des poumons de taille supérieure leur permettaient de respirer rapidement lorsqu'ils étaient actifs. Ils sont devenus des animaux à **sang chaud**, ce qui leur assurait une plus grande activité diurne que celle des reptiles. Les petits mammifères vivaient à la même époque que les dinosaures, mais ils chassaient probablement la nuit pour se nourrir, afin d'éviter les prédateurs.

Comment se reproduisaient les premiers mammifères ?

Les premiers mammifères, qui ont évolué à partir d'animaux ressemblant à des reptiles, étaient probablement ovipares, comme les reptiles. Mais à la différence de ceux-ci, les mammifères femelles nourrissaient leurs petits. Le Platypus et les **échidnés** sont les seuls mammifères ovipares (monotrèmes) vivant encore aujourd'hui. Il y a environ 140 millions d'années, la plupart des mammifères ont évolué soit en **marsupiaux** (mammifères dont les petits naissent à un stade très précoce de leur développement et restent dans la poche de leur mère jusqu'à ce qu'ils aient une taille suffisante), soit en mammifères placentaires, qui donnent naissance à des bébés vivants entièrement développés.

Pourquoi certains mammifères sont devenus très ⋯ grands ?

Les mammifères primitifs étaient de petite taille. Certains ne sont devenus beaucoup plus grands qu'après l'extinction des dinosaures. Les mammifères les plus grands vivaient dans les océans et sur la terre ferme, où ils disposaient de grands espaces. La nourriture était également abondante, ce qui signifie moins de compétition pour se nourrir et donc une croissance plus importante. Le plus grand mammifère terrestre préhistorique est l'Indricotherium, qui vivait il y a 30 millions d'années. Sa taille avoisinait les 7 m de long et son poids, les 20 tonnes, ce qui représente huit fois la stature d'un rhinocéros actuel.

Les mammifères géants n'ont jamais atteint la taille des plus grands dinosaures, mais ils étaient plus grands que n'importe quel mammifère actuel.

Comment le cheval a-t-il évolué ?

Apparu il y a 55 millions d'années, l'Hyracotherium est un cheval primitif. Il avait la taille d'un chien, un dos arqué, de courtes pattes et une longue queue. Au fil du temps, ses pieds ont évolué,

passant de quatre doigts avant et trois doigts arrière à trois doigts par pied, puis à un large doigt recouvert d'un sabot. Lorsque les premiers chevaux ont commencé à brouter l'herbe, ils ont développé des pattes plus longues afin de courir et des dents plus robustes, adaptées à la mastication de l'herbe. De longues pattes, la capacité de courir rapidement et sur de longues distances leur permettaient d'échapper à leurs prédateurs.

Quel est l'ancêtre de l'éléphant ?

Un petit animal ressemblant à un cochon, le Moeritherium, vivant il y a 50 millions d'années, est l'ancêtre de l'éléphant. Il mesure environ 70 cm de haut et ressemble au **tapir.** Il possède un long nez mais pas de trompe. Le Moeritherium passe une partie de son existence dans l'eau, comme un hippopotame. Depuis ce lointain ancêtre, on a recensé plus de 500 espèces d'éléphants, dont les **mammouths** et les **mastodontes.**

Pourquoi les baleines vivent-elles dans la mer ?

Les baleines sont des mammifères terrestres qui ont évolué et sont devenus les plus gros animaux marins. Le Pakicetus, leur premier ancêtre connu, ressemblait à un loup. Il vivait il y a plus de 50 millions d'années, barbotant probablement dans l'eau pour capturer des poissons. Progressivement, le Pakicetus s'est adapté à la vie aquatique, devenant plus **profilé** et perdant ses pattes arrière. Les baleines sont proches des animaux à sabots à nombre de doigts pair, vaches, chèvres, moutons, cochons et hippopotames. Comme tous les cétacés, leur évolution décrit une boucle complète, passant de la mer à la terre, puis retournant dans la mer.

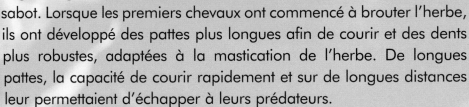

Le sais-tu ?

Le Morganucodon, un petit animal ressemblant à une musaraigne, est le plus vieux mammifère connu.

L'évolution de **l'homme**

Qu'est-ce qu'un hominidé ?

Les hominidés regroupent toutes les espèces de la famille humaine ayant vécu depuis le dernier ancêtre commun aux humains et aux singes. Un hominidé est une espèce au sein de cette famille. Les hominidés marchent debout, ont un cerveau volumineux et utilisent des outils. Le premier hominidé connu, l'Ardipithecus ramidus kadabban, vivait il y a environ 6 millions d'années. Il savait utiliser des massues et a quitté la jungle pour s'établir dans les **plaines**, vivant en communautés afin de se protéger contre les prédateurs. De même que les chimpanzés, les gorilles, les orangs-outans et les gibbons, les humains sont des hominidés.

Qui était Lucy ?

Lucy est l'un des premiers hominidés pratiquement complets mis à jour. Le squelette a été découvert à Hadar, en Ethiopie, en 1974. Lucy vivait il y a environ 3,2 millions d'années. Elle ne mesurait pas plus d'un mètre de haut, mais marchait debout. L'aptitude à la marche debout constitue la différence essentielle entre les êtres humains et les singes : Lucy était donc un « être humain » à part entière. Elle doit son nom à la chanson des Beatles « Lucy in the Sky with Diamonds ».

Lucy devait avoir cette apparence.

Les singes sont-ils nos cousins ?

Le dernier ancêtre commun des êtres humains et des singes vivait dans la forêt équatoriale africaine, il y a six à huit millions d'années. Ses descendants se divisent en deux lignées – les êtres humains et les singes. Les êtres humains sont probablement descendus des arbres pour vivre sur la terre ferme et se sont mis à marcher sur deux jambes lorsque le climat a changé, ce qui a réduit le nombre de forêts susceptibles de les accueillir. L'examen des gènes des êtres humains et des singes révèle que seulement 2% d'entre eux sont différents.

Qu'est-ce que •••••••••• l'Homo erectus ?

L'Homo erectus, ou « homme debout » est l'un des premiers hominidés, et un ancêtre de l'homme moderne. Il vivait il y a environ 1, 8 million d'années et est **originaire** d'Afrique. Il a ensuite émigré vers l'Asie et l'Europe. Sa taille était semblable à celle de l'homme moderne, mais la taille de son cerveau ne représentait que 75% du nôtre. Il utilisait des outils en pierre et savait faire du feu. Le squelette d'un Homo erectus vieux de 1,6 million d'années a été découvert au Kenya. Appartenant à un enfant âgé de 10 à 12 ans, il a été nommé « Turkana Boy ».

Le sais-tu ?

Le parent le plus proche des humains est le bonobo, qui partage plus de 98% de l'ADN avec l'homme. Il est encore plus proche de nous que le chimpanzé. Bonobos et chimpanzés sont aussi plus proches des humains que les gorilles.

Qu'est-ce que l'homme de Néanderthal ?

L'**homme de Néanderthal** (Homo neanderthalensis) est probablement venu de l'Europe du Nord il y a 230.000 ans. Il vivait en Europe et en Asie occidentale. De taille inférieure à celle de l'homme moderne, il était nettement plus trapu et plus fort, ce qui lui permettait de vivre dans le rude climat de l'ère glaciaire. Il fabriquait des outils : haches, grattoirs et serpes en pierre. L'homme de Néanderthal était un **chasseur cueilleur** ; il utilisait un javelot pour tuer sa proie lorsqu'elle était à proximité. Des conditions de vie difficile ne lui permettaient pas de dépasser l'âge de 40 à 45 ans. Il s'est éteint il y a 35 000 ans, sans doute lorsque l'homme moderne l'a concurrencé pour s'approprier les **richesses naturelles.**

•••• Qu'est-ce que l'Homo sapiens sapiens ?

Tous les humains font partie de l'espèce « Homo sapiens », ce qui signifie homme sensé ou intelligent. L'Homo sapiens a vécu de 200.000 ans avant notre ère à aujourd'hui. L'homme moderne porte le nom de Homo sapiens sapiens, une espèce d'homo sapiens qui est apparue voici 120 000 ans. Les premiers Homo sapiens sapiens d'Europe sont les hommes de Cro-Magnon. Le développement des arts, dont la fabrication d'instruments de musique, la sculpture sur ivoire, les peintures rupestres et les outils décorés, constitue l'une des principales réalisations de l'homme moderne.

25

Le développement **humain**

Qui sont les chasseurs-cueilleurs ?

Les chasseurs-cueilleurs étaient un peuple **nomade** qui vivait en groupes, se déplaçant constamment en quête de nourriture. Dans la plupart des sociétés, les hommes pêchaient et chassaient, tandis que les femmes et les enfants restaient près du campement et cueillaient baies, fruits, graines et noix. Ils vivaient dans des cavernes ou des tentes faites de peaux d'animaux ou de branches d'arbres. Les javelots à manche en bois et pointes de pierre ont été les premières armes. Plus tard, seront fabriqués des arcs et des flèches. Il y a 8 000 ans, les chasseurs-cueilleurs ont appris à cultiver le sol et sont devenus cultivateurs.

Les chasseurs-cueilleurs vivaient dans de simples abris pouvant être facilement démontés et transportés.

Qu'est-ce que l'âge de pierre ?

On appelle âge de pierre la période préhistorique caractérisée par la fabrication d'outils en pierre. Sa durée varie fortement selon les différentes régions du monde. L'âge de pierre a commencé il y a environ 2 millions d'années et les premiers outils connus ont été fabriqués par un ancien ancêtre de l'homme, l'Homo habilis, qui a évolué en Homo erectus. Il a fabriqué des outils appelés « serpes », constitués d'une pierre aplatie pourvue d'une face tranchante obtenue en entaillant la pierre d'un côté. Plus tard, des outils plus complexes ont été inventés. L'âge de pierre est également connu sous le nom de période paléolithique, ce qui signifie « ancienne pierre ». L'âge de pierre coïncide également avec la période glaciaire.

Qu'est-ce que le nouvel âge de pierre ?

Au cours du Nouvel âge de pierre, ou période néolithique, il y a 8.000 ans, les populations ont commencé à cultiver la terre, à vivre en groupes importants et à faire de la poterie. Deux des plus anciens sites d'occupation sont Catul Hayak, en Turquie actuelle, et Jéricho, en Israël. Les outils (le plus souvent réalisés en **pierre à feu**) pour meuler, entailler et couper ont évolué avec les changements de mode de vie. Devenus agriculteurs, les hommes ont commencé à porter des vêtements en **textile** comme la laine de mouton et le lin, à la place de la fourrure des animaux.

26

Quand a-t-on commencé à utiliser des métaux ?

Le cuivre a été le premier métal utilisé pour fabriquer des outils, en Europe et en Asie voici 5.500 années. Peu après, l'homme a appris à fabriquer le bronze. L'âge du bronze a commencé à différentes époques selon les régions du monde. Le bronze était obtenu à partir d'un mélange d'étain et de cuivre. Il était utilisé pour la fabrication des couteaux, des épées, des haches et des lances, ainsi que celle des bijoux. Les peuplades établies en Égypte et en Mésopotamie (aujourd'hui, l'Irak moderne et Syrie) ont été les premières utilisatrices du bronze il y a 5 300 ans. L'âge du bronze a duré jusqu'à 1 200 avant J.-C., époque où l'utilisation du fer a commencé à se généraliser.

Quels sont les premiers instruments de musique ?

L'écartement des trous dans la flûte néanderthalienne est identique à celui d'une flûte moderne.

Le plus ancien instrument de musique découvert est une flûte de l'Âge de pierre, datant de 35 000 années, sculptée dans une défense de mammouth laineux. Il a été découvert en Allemagne en 2 004. Brisée en 31 pièces, la flûte a été reconstruite. Elle ne jouait que trois notes. Les plus anciens instruments de musique en bon état remontent de 8 à 9 000 ans. On recense six flûtes en ossement, découvertes en Chine. Elles étaient fabriquées à partir des os d'un crâne et comportaient six, sept ou huit trous.

Le sais-tu ?

La momie congelée d'un homme préhistorique vieux de 3 500 ans a été découverte en 1991. Surnommée Otzi l'homme des glaces, cette momie portait une hache en cuivre et un couteau en pierre à feu !

Quand la préhistoire s'est-elle terminée ?

La préhistoire s'est terminée lorsque les peuplades ont commencé à conserver des témoignages historiques. Là encore, cela varie selon les différentes régions du monde. En Égypte, la préhistoire s'est terminée vers 3 500 av. J.-C., alors qu'elle ne s'est achevée en Nouvelle-Guinée que vers 1 900. Dès que les peuplades se sont mises à cultiver la terre (les premiers agriculteurs ont commencé à faire pousser des récoltes il y a 9 000 ans), elles ont dû inventer une méthode pour les comptabiliser. L'écriture a été inventée par les Sumériens 3 500 ans av. J.-C. D'autres civilisations ont également inventé des systèmes d'écriture : Égyptiens, Chinois et Olmèques dans l'Ancien Mexique. L'écriture est généralement considérée comme nécessaire au développement d'une société complexe.

La période glaciaire

Qu'est-ce qu'une période glaciaire ?

Une période glaciaire survient lorsque de vastes parties du monde sont recouvertes de glace. Certaines ont duré des millions, voire des dizaines de millions d'années. L'histoire de la Terre a connu quatre périodes glaciaires majeures. La première est apparue il y a 800 à 600 millions d'années. Les périodes glaciaires sont causées par le mouvement des plaques continentales, lorsque de grandes étendues de terre se situent à des altitudes élevées et que des parties de continent se soulèvent. Les changements dans l'**orbite** terrestre affectent également la quantité de chaleur atteignant la Terre, en provenance du Soleil, tandis que la quantité de dioxyde de carbone dans l'atmosphère affecte la température de la planète. Les périodes situées entre les périodes glaciaires, à la température plus douce, sont appelées « périodes interglaciaires ».

Combien y a-t-il eu de périodes glaciaires ?

La Terre a connu quatre périodes glaciaires majeures. On pense que la première a dû se produire il y a de 2,7 à 3 millions d'années. Une autre est apparue il y a de 800 à 600 millions d'années. On estime que des « mini » périodes glaciaires moins rigoureuses se produisent tous les 11 000 ans. La dernière période glaciaire a commencé il y a environ 70 000 ans et s'est terminée il y a 10 000 ans. Au cours de cette période, des calottes de glace d'une épaisseur de 3,5 à 4 km ont recouvert une grande partie de l'Europe et de l'Amérique du Nord. Les longs intervalles de temps impliqués expliquent que les scientifiques ne peuvent prédire quand commencera la prochaine période glaciaire. Pour eux, ce sera dans un proche avenir.

Comment les hommes ont-ils survécu aux périodes glaciaires ?

Les peuplades de l'âge de pierre qui ont vécu au cours de la dernière période glaciaire étaient des **chasseurs-cueilleurs**. Ils chassaient essentiellement des poissons et des oiseaux. Ils mangeaient la chair, et ils brisaient les os pour en sucer la **moelle**, très nourrissante. La chair était découpée en lanières et séchée pour être conservée. Les hommes vivaient dans des cavernes, ou construisaient des abris avec des ossements, du bois et des peaux d'animaux. Les humains modernes seraient parvenus à survivre à une mini période glaciaire, bien que la nourriture fût rare et qu'il fallût émigrer de l'hémisphère nord vers le sud pour échapper à la glace qui recouvrait la terre.

Qu'était la méga faune ?

De nombreux animaux géants ont vécu durant la dernière période glaciaire, mais aujourd'hui ils sont tous éteints. Ces grands mammifères, connus sous le terme de méga faune, sont probablement devenus imposants parce que les animaux les plus grands sont mieux armés pour se procurer les biens de la nature, par exemple, la nourriture. La méga faune comprenait les mammouths, les mastodontes, les rhinocéros laineux, les tigres sabres et les castors géants. Le paresseux géant, qui vivait en Amérique, avait la taille d'un éléphant moderne, tandis que l'Australie connaissait un **marsupial** appelé Diprotodon, de la taille d'un rhinocéros moderne, soit le plus grand marsupial ayant jamais existé. Le mégalocéros était un grand cerf pourvu de bois de près de 4 m, qui vivait en Europe. Malgré leur taille imposante, ces mammifères géants ne pouvaient espérer rivaliser avec les dinosaures.

Cette carte montre la bande de terre telle qu'elle se présente aujourd'hui. Les zones maritimes en bleu plus pâle indiquent le pont de terre immergé.

Pourquoi de nombreux animaux se sont-ils éteints au terme de la période glaciaire ?

Selon les scientifiques, de nombreux animaux de la période glaciaire se sont éteints à cause de la chasse excessive de certains animaux géants tels que le mammouth et le mastodonte. D'autres facteurs comme la hausse des températures, la fonte des glaciers et les variations en matière de précipitations ont pu créer un manque de nourriture et l'obligation de vivre sous des climats auxquels ces animaux n'étaient pas adaptés. D'où l'extinction d'un grand nombre d'entre eux.

Qu'était le Bering Land Bridge ?

Le Bering Land Bridge était une bande de terre qui reliait la Russie à l'Amérique du Nord. Elle est apparue vers la fin de la dernière période glaciaire, il y a de 25 000 à 14 000 ans, lorsque le niveau de la mer a baissé de 100 m à cause de la glace. Les mammouths, les chevaux, les bisons ont quitté l'Asie, traversé cette bande de terre et émigré en Amérique du Nord. Les peuplades asiatiques ont suivi les animaux jusqu'en Alaska et au Canada. Lorsque la période glaciaire s'est terminée, le niveau de la mer a monté, et la bande de terre a été de nouveau immergée.

GLOSSAIRE

Aérodynamique
Ayant une forme qui permet de se déplacer dans l'eau ou dans l'air en offrant la moindre résistance.

Amphibien
Animal capable de vivre à la fois sur la terre ferme et dans l'eau. Les grenouilles et les salamandres sont des amphibiens.

Ankylosaure
Grand dinosaure cuirassé qui vivait pendant le crétacé.

Arthropodes
Animaux dotés d'un exosquelette rigide, d'un corps segmenté et de pattes articulées. Ce groupe d'animaux englobe les insectes, les araignées et les crustacés (crabes, homards, crevettes et anatifes), ainsi que les mille-pattes.

A sang chaud (animal)
Capable de maintenir une certaine température corporelle, indépendamment de la température ambiante.

A sang froid (animal)
Animaux dont la température corporelle est influencée par la température environnementale.

Astéroïde
Fragments de roche et de métal, d'une taille variant de quelques mètres à des centaines de kilomètres, qui gravitent autour du Soleil.

Atmosphère
Les gaz ou l'air qui entourent une planète, en particulier la Terre

Bactérie
Etre vivant unicellulaire présent dans la terre, dans l'air et dans l'eau. Les bactéries sont très utiles mais également responsables de nombreuses maladies.

Carnivore
Animal qui se nourrit de viande.

Cartilage
Tissu conjonctif résistant et élastique. Chez les êtres humains, l'oreille externe, certaines parties de la gorge et les articulations sont constituées de cartilage.

Chasseur-cueilleur
Peuplade qui vivait dans la nature, chassant les animaux et cueillant fruits, graines, noix et racines.

Compressé
Pressé fortement l'un contre l'autre.

Crétacée
Période de l'histoire de la Terre se situant il y a 140 à 63 millions d'années.

Crustacé
Animaux à exosquelette rigide, corps formé de segments, et pattes articulées, qui vivent essentiellement dans l'eau. Les crabes, les homards, les crevettes, et les anatifes sont des crustacés.

Cuticule
Couche externe ou membrane couvrant les parties extérieures des plantes.

Cycas
Plantes vivaces des régions tropicales, à grandes feuilles, qui portent des cônes.

Descendant
Individu issu d'une personne ou d'un groupe spécifique, comme une famille.

Distribution
Répartition d'un organisme dans une région ou des régions particulières.

Diversité
Variété des espèces.

Doigt
Chacune des parties terminant la main et le pied de l'homme ou de l'animal.

Dominant
Élément d'un groupe d'animaux ou de personnes qui dirige ce groupe.

Echidné
Mammifères ovipares pourvus de grandes langues gluantes destinées à capturer les insectes. Les échidnés ont été découverts en Australie, en Tasmanie et en Nouvelle-Guinée.

Effet de serre
Réchauffement qui se produit lorsque la chaleur du soleil est piégée dans l'atmosphère. Le soleil traverse l'atmosphère, mais la chaleur réfléchie par la Terre est capturée par l'atmosphère.

Embryon
Œuf fécondé d'un animal.

Environnement
Ensemble des conditions entourant un être vivant et pouvant affecter sa croissance, son développement et sa survie.

Ère mésozoïque
Période de l'histoire de la Terre se situant il y a 230 à 63 millions d'années

Éteint
Qui ne vit ou n'existe plus.

Eucaryote
Organisme consistant en une ou plusieurs cellules contenant un noyau entouré d'une membrane. Tous les organismes, à l'exception des micro-organismes primitifs tels que la bactérie, sont des eucaryotes.

Évolution
Changement ou développement progressif.

Forêt équatoriale
Une forêt qui se situe au voisinage de l'équateur. Elle reçoit chaque année 2,5 m de pluie.

Génération
Groupe d'individus nés et vivant à la même époque. Par exemple, tes frères et sœurs appartiennent à la même génération que toi.

Gravitation
Attraction universelle qui s'exerce entre tous les corps. Ses effets sont, par exemple, la chute des corps, le mouvement des planètes.

Herbivore
Animal se nourrissant de végétaux.

Isotope
Les isotopes d'un élément ont le même nombre de protons mais un nombre différent de neutrons, ce qui leur confère une masse atomique différente.

Mammifères
Classe de vertébrés à température constante portant des mamelles. Les femelles produisent du lait dont elles nourrissent leurs petits.